哇！歷史原來是這樣

狐狸家 編著

出行簡史

U0063289

中 華 教 育

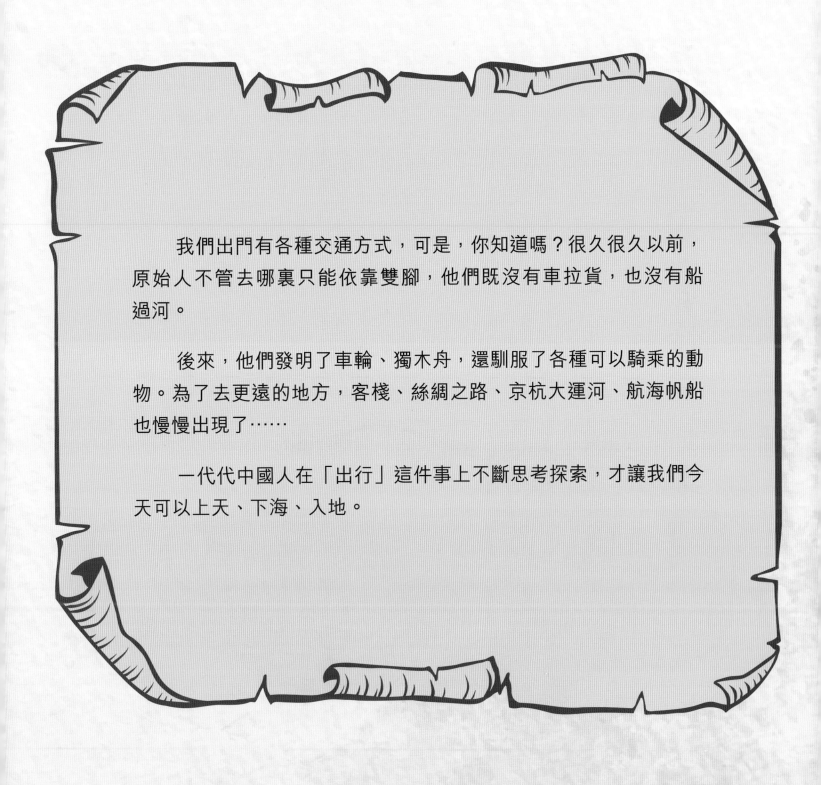

我們出門有各種交通方式，可是，你知道嗎？很久很久以前，原始人不管去哪裏只能依靠雙腳，他們既沒有車拉貨，也沒有船過河。

後來，他們發明了車輪、獨木舟，還馴服了各種可以騎乘的動物。為了去更遠的地方，客棧、絲綢之路、京杭大運河、航海帆船也慢慢出現了⋯⋯

一代代中國人在「出行」這件事上不斷思考探索，才讓我們今天可以上天、下海、入地。

很久很久以前，我們的祖先無論去哪裏，只能依靠雙腳。

有時候，走的路多了，背的東西重了，腳底就會磨出又疼又癢的大水泡！

「啊啊啊啊——疼！」

「孩子他爸怎麼還沒回來？」

如果要走很遠的路，運很多東西，實在背不動，怎麼辦？

有了！大樹幹中間掏個洞，用來裝沉重的東西。樹幹下面再墊上幾根木棍，然後用草繩套上一拉——嘿，樹幹竟然在木棍上輕輕鬆鬆動了起來。

「哇，這多省力呀！」

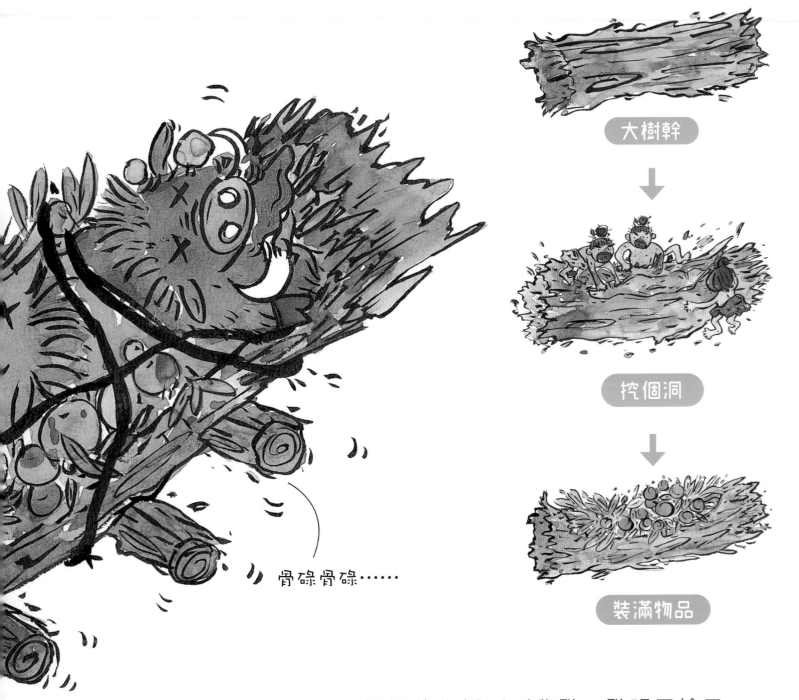

骨碌骨碌……

大樹幹

↓

挖個洞

↓

裝滿物品

機智的人們受到啟發，發明了輪子，
這樣最原始的「車」就出現了。

「完了，河對岸的野果子
要被他們摘光啦！」

「嘻嘻，先到先得！」

車在陸地上很管用，卻過不了河，怎麼辦？

有了！把掏空的樹幹推進河裏——嘿，樹幹竟然輕輕鬆鬆就浮了起來。

這就是獨木舟，是最早的「船」。

後來呀，人們又發現了更省力的出行方式——騎馬。

「那人怎麼一直看着我？」

「嘿嘿嘿！」

8

「馬兒乖，別亂動啦！」

「快下去！我生氣了！」

| 馬鐙 | 馬鞍 | 馬蹄鐵 | 馬嚼子 |

　　不過，野馬脾氣大，不容易被馴服，騎馬的人常常會被掀翻，跌落馬背。

　　為了馴服野馬，人們給馬嘴套上了馬嚼子，給馬蹄釘上了馬蹄鐵，踩着馬鐙，坐上馬鞍……這樣，騎起馬兒來就更穩當啦！

除了馬，我們人類還馴服了各種各樣的動物。

騎驢

騎牛

騎豬

騎羊

再後來，出現了依靠人力抬行的交通工具——轎子。

乘坐不同的交通工具，往往代表着不同的身份地位。

新娘子，坐花轎

12

狀元郎，騎大馬

官老爺，坐官轎

莊稼漢，騎毛驢

「快快快，皇上尿急！」

「前面的隊伍快停下來！」

輅 古時候的一種大車，可以用玉、金、革、木等不同材料製作。材料越好規格越高，乘坐的人身份也越尊貴。比如「玉輅」以玉為飾，是天子才能乘坐的車。

如果是皇帝出行呢？那排場可氣派多了！

皇帝坐在用玉裝飾的玉輅裏，車前、車後都有隨從、護衛、儀仗跟隨。據歷史記載，這種聲勢浩蕩的皇帝「大駕」隊伍，往往會有成百上千的人馬呢！

如果要去很遠很遠的地方，中途餓了累了怎麼辦？

別擔心，有客棧！

駝峰 脂肪很厚，可以抵禦沙漠夜裏的寒冷。

　　歷史上有一條很長很長的路叫「絲綢之路」，這條路穿越大片沙漠，連接着東方和西方。各國商人騎着駱駝在路上奔走買賣，賺取錢財。

駱駝 擅長在沙漠中行走，又叫「沙漠之舟」。

眼睛 駱駝眼睛的睫毛很長，可以擋住沙漠猛烈的風沙。

19

有了很長的陸路還不夠，人們又修建了一條很長的水道——「京杭大運河」。

這條運河連接着中國北方和南方，有了它，北方人吃上了南方的糧食，南方人用上了北方的棉花。

不僅如此，這條運河還帶來了商機，沿途的城鎮變得更有活力了。人們開始跑運輸、開飯店、做買賣⋯⋯忙得不亦樂乎！

後來勇敢的人們開始把眼光投向大海，
他們造出依靠風力航行的大帆船：起風了，
向大海深處出發！

人類的智慧不止於此，後來又發明了以煤炭、汽油、電為動力的交通工具。

一百年前，如果你走在大街上，既能看到傳統的「人力車」，也能看到先進的「機動車」。

小汽車

人力車

有軌電車

蒸汽火車

公共汽車

自行車

地鐵

家用汽車

今天，我們上天、入地、下海……

看一看，這些交通工具，你認識幾個？

「媽媽，我們要上天了嗎？」

「是登機！」

長途汽車

「聽媽媽的話，寶貝
繫好安全帶喲！」

寶貝要跟媽媽出去兜風了，坐小汽車咯！

現在，有了這些貼心的公共交通服務設施，
我們出行就更方便啦！

加油站

停車場

智能導航

洗車店

我們出發吧！

出行簡史

基本靠雙腳走路

動物交通工具

騎驢

騎牛

騎羊

簡易交通工具

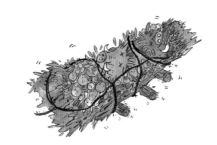

最初的「車」

最初的「船」

使用場景

坐轎子

騎大馬

停車場

加油站

交通
帶來商機

絲綢之路

運河

鄭和下西洋

現代交通工具

汽車

汽車

人力車

輪船

有軌電車

近代交通工具

飛機

哇！歷史原來是這樣

出行簡史

狐狸家　編著

責任編輯：鍾昕恩
裝幀設計：鄧佩儀
排　　版：鄧佩儀
印　　務：劉漢舉

出版 | 中華教育
香港北角英皇道 499 號北角工業大廈 1 樓 B 室
電話：(852) 2137 2338　傳真：(852) 2713 8202
電子郵件：info@chunghwabook.com.hk
網址：http://www.chunghwabook.com.hk

發行 | 香港聯合書刊物流有限公司
香港新界荃灣德士古道 220-248 號 荃灣工業中心 16 樓
電話：(852) 2150 2100　傳真：(852) 2407 3062
電子郵件：info@suplogistics.com.hk

印刷 | 美雅印刷製本有限公司
香港觀塘榮業街 6 號海濱工業大廈 4 字樓 A 室

版次 | 2021 年 11 月第 1 版第 1 次印刷
©2021 中華教育

規格 | 12 開（230mm x 230mm）

ISBN | 978-988-8759-95-8